TORONTO PUBLIC LIBRARY

L'ours abandonné

D1487134

Catherine de Lasa est née à Caen en 1956. Après des études de littérature, elle assouvit sa passion en écrivant des poèmes, des contes et des histoires pour enfants. Dans son travail comme dans sa vie, elle aime varier les genres. Actuellement, elle élève ses cinq enfants, écrit toujours et pratique occasionnellement le karaté ! Ses ouvrages sont publiés aux éditions Gallimard, Nathan, Fleurus et Bayard Jeunesse.

Du même auteur chez Bayard Poche :
En route, petit frère ! (J'aime lire)
Sonia la colle - Le ballon perché (Mes premiers J'aime lire)

Régis Faller est né en 1968 à Obernai. Il a suivi des études à l'École des arts décoratifs de Strasbourg. Aujourd'hui graphiste au magazine *Astrapi*, il garde du temps pour illustrer de nombreux ouvrages publiés aux éditions Nathan, Flammarion, Albin Michel et Bayard Jeunesse.

Deuxième édition

© 2003, Bayard Éditions Jeunesse
© 2001, Bayard Éditions.
Tous les droits réservés. Reproduction, même partielle, interdite.
Dépôt légal : septembre 2003
Loi du 16 juillet 1949 sur les publications destinées à la jeunesse.

L'ours abandonné

Une histoire écrite par Catherine de Lasa
illustrée par Régis Faller

mes premiers
j'aime lire
BAYARD POCHE

Chapitre 1
Pauvre nounours !

Il est quatre heures et demie. Paul rentre chez lui en passant devant l'immeuble qui est au bout de sa rue.

Soudain, il s'arrête net : au coin de l'immeuble, à côté des poubelles, il y a un grand nounours assis par terre. Il a l'air tout triste, avec son oreille décousue.

Paul pense : « Un si beau nounours ! Ce serait bête de le laisser partir dans le camion poubelle ! »

Paul a très envie de l'emporter chez lui. Puis il se dit : « Si un copain me voit avec ce nounours dans les bras, il va bien rigoler ! »

Brusquement, Paul se sent gêné : par une fenêtre de l'immeuble, quelqu'un le regarde. Alors, Paul s'éloigne à toute vitesse, et il rentre chez lui.

Mais en commençant ses devoirs, Paul pense encore au nounours, et il a l'impression de l'avoir devant lui.

Dehors, la pluie tape sur les carreaux de la fenêtre. Paul se dit : « Le pauvre nounours doit grelotter de froid ! »

Paul n'en peut plus. Il raconte tout à sa sœur Claire. Elle décide aussitôt :

– Il faut le ramener à la maison, ce nounours ! Si tu as trop honte, on va le cacher dans un sac-poubelle.

Paul hésite :

– Tu crois qu'on a assez de place, dans notre petite chambre ?

Claire hausse les épaules :

– Si on range un peu, on trouvera de la place !

Et, hop ! elle enlève sa poupée Flora qui est installée dans un coin, et elle la met dans sa poche. Puis elle pousse les petits meubles de la poupée pour dégager une place d'au moins cinquante centimètres.

Paul dit :

– Tu as raison, on y va !

Il prend un sac-poubelle dans la cuisine, et il file dehors avec sa sœur.

Chapitre 1

Le sauvetage

Quand Paul et Claire arrivent au coin de l'immeuble, le nounours est toujours là. Paul et Claire le soulèvent, et ils le mettent dans le sac. Soudain, Paul montre à Claire une fenêtre du premier étage :

– Eh ! Il y a quelqu'un qui nous regarde !

Claire répond :

– On s'en fiche, aide-moi à porter le sac !

Après bien des efforts, ils arrivent devant chez eux. Ouf ! Paul souffle à sa sœur :

– Il faut vider le sac avant de monter. Sinon, on va mettre de l'eau partout.

Tous les deux, ils sortent le nounours du sac, ils appuient dessus pour faire sortir l'eau. Puis ils le remettent dans le sac, et ils montent l'escalier.

À la maison, Paul décide d'installer l'ours dans la baignoire pour qu'il finisse de s'égoutter. À ce moment-là, maman arrive. Elle pousse un cri :

– Qu'est-ce que vous m'avez rapporté encore ?

Paul raconte tout. Maman soupire :

– Vous trouvez qu'il n'y a pas assez de jouets comme ça dans l'appartement ?

Puis Maman s'approche :
– Mais il est décousu, ce pauvre ours ! Dès qu'il sera sec, je lui recoudrai l'oreille !

Paul voit que le nounours a l'air tout content.

Le lendemain, Claire rentre de l'école avec un carton plein de vêtements usés :
– Regarde ce que j'ai trouvé pour Nounours !

Vite, Paul et Claire changent les habits du nounours : c'est génial ! Tous les vêtements lui vont exactement.

Tout d'un coup, Paul a un doute. Il demande à Claire :

– Où les as-tu trouvés, ces habits ?

– À côté des poubelles, au coin de l'immeuble, répond Claire.

Paul hésite, puis il demande encore :

– Est-ce que quelqu'un te regardait ?

Claire essaie de se rappeler :

– Oui, dans l'entrée de l'immeuble, il y avait une fille, assez grande et blonde.

Paul s'écrie :

– C'est sûrement elle qui a déposé le nounours, puis ses habits sur le trottoir, à côté des poubelles. Elle voulait qu'on les prenne, j'en suis sûr !

Claire est intriguée :

– Mais pourquoi ?

– Je ne sais pas, répond Paul. En tout cas, il faut résoudre le mystère !

Claire réfléchit :

– Le nounours et les habits étaient au coin de l'immeuble, juste au moment où on sortait de l'école. C'est là qu'il faut se donner rendez-vous demain.

Puis ils vont tous les deux regarder leur dessin-animé préféré en installant le nounours sur le canapé. Maintenant, il fait vraiment partie de la famille.

Chapitre 3

L'échange

Le lendemain, Paul et Claire voient un camion de déménagement garé devant l'entrée du grand immeuble. Tout autour, des gens s'agitent en portant de gros cartons. Parmi eux, Claire reconnaît tout de suite la grande fille blonde.

Soudain, une dame appelle la fille blonde :

– Au fait, Sandra, j'espère que tu t'es débarrassée du vieux nounours. Tu sais que je n'en veux plus dans le nouvel appartement !

Sandra se retourne. Elle regarde Paul et Claire droit dans les yeux, et elle répond :

– Oui, Maman. J'ai trouvé des gens qui ont de la place pour le prendre chez eux.

Paul sourit à Sandra. Il a tout compris.

Vite, Claire fouille dans sa poche. Elle prend quelque chose qu'elle met dans la main de Sandra, et elle chuchote :

– C'est ma poupée, Flora. Tu vas bien t'en occuper, hein ?

Sandra fait seulement « Oh ! » en regardant la poupée. Puis elle la met délicatement dans la poche de son blouson. Et elle monte dans le camion, à côté de ses parents.

Peu de temps après, le camion démarre. Quand il tourne au coin de la rue, Paul et Claire voient Sandra qui leur fait un petit signe. Elle tient la poupée bien serrée contre elle.

mes premiers j'aime lire

La collection des premiers pas dans la lecture autonome

 Se faire peur et frissonner de plaisir **Rire et sourire avec**

des personnages insolites **Réfléchir et comprendre la vie de**

tous les jours **Se lancer dans des aventures pleines de**

rebondissements **Rêver et voyager dans des univers fabuleux**

Un magazine pour découvrir le plaisir de lire seul, comme un grand !

Spécial CP/CE1

Grâce aux différents niveaux de lecture proposés dans chacun de ses numéros, *Mes premiers J'aime lire* est vraiment adapté au rythme d'apprentissage de votre enfant.

CHAQUE MOIS
- une histoire courte,
- un roman en chapitres avec sa cassette audio,
- des jeux
- une BD d'humour.

Autant de façons de s'initier avec plaisir à la lecture autonome !

Disponible tous les mois chez votre marchand de journaux ou par abonnement.

J'AIME LIRE

Les premiers romans à dévorer tout seul

 Se faire peur et frissonner de plaisir Rire et sourire avec

des personnages insolites Réfléchir et comprendre la vie de

tous les jours Se lancer dans des aventures pleines de

rebondissements Rêver et voyager dans des univers fabuleux

Le drôle de magazine
qui donne le goût de lire

- un roman inédit illustré
- des jeux pour s'amuser et être créatif
- la célèbre BD de Tom-Tom et Nana et bien d'autres surprises !

Disponible tous les mois chez votre marchand de journaux ou par abonnement.

Achevé d'imprimer en juillet 2003 par Oberthur Graphique
35000 RENNES – N° Impression : 5144
Imprimé en France